효재 에세이

효재처럼 살아요

문학동네

어느 책에서 "먼지와도 같은 이론이나 사상은 쓸려서 사라져도, 시골 대청에 쏟아지는 달빛은 빗자루에 쓸리지 않는다"는 글을 읽은 적이 있습니다.

은은한 달빛처럼 선생님이 지으시는 친절함과 아름다운 일들이 수위를 더욱 환하게 하리라 생각합니다.

보자기 아짐

저는 이제껏 집안일과 요리, 손으로 하는 것에 가치를 별로 두지 않고 항상 귀찮은 것, 하기 싫은 것이란 표를 달아놓았답니다.

그래서 집이 항상 저에게 짐스러운 공간이었답니다. 항상 숙제로 가득 찬 공간…….

효재씨 책을 통해서, 저는 정말 감사를 드립니다.

집안일과 가사활동이 얼마나 가치가 있고, 창의적인 행위라는 것을 속속들이 깨닫게 해주었답니다.

책을 다 읽고 나니까 새벽 세시,

그 길로 먼지로 수북이 쌓인 찬장 한 켠을 닦고 재정리를 했더니 얼마나 제 마음이 맑아지는지…….

윤기 나는 유리그릇을 마른 행주로 닦는 기쁨…….

예쁘게, 열심히, 사랑스럽게 사는 모습을 있는 그대로 보여주셔서 감사드립니다.

대구에서 전희정

지난 늦여름,

4주간 선생님과 함께 했던 시간들이 막 펼쳐집니다.

선생님께서도 어떤 사람을 기억하실 때 자태와 이미지들을 떠올린다 하셨는데,

저의 선생님에 대한 기억들은 선생님의 함자 다음엔 오롯이 '자태'로 남습니다.

그윽하고도 조용하기만 한 자태,

마치 넓고 둥근 수반에 부유하던 연꽃잎 같은 모습.

참 아름다운 이미지이죠?

정숙희

prologue

아주 오래 전, 표지가 노랗고 나비가 날고 있는 그림이 그려져 있어 유치원 어린아이 그림 같아서 산 책. 제목이 『꽃들에게 희망을』이라는, 당시에 많이 읽히는 책이었다.

그림동화여서 술술 넘기다,

마지막 장에서 나는 가슴에 화살을 맞았다.

'지금까지 나에게 영향을 주신 분들께 감사드린다'는 저자의 말이 어찌나 목이 메던지.

언젠가 나도 말로는 못하는 '감사하다'는 한마디 꼭 해보아야지!

그러고는 이십 년이 더 흘렀다.

좋은 인연들을 만나 사진이 많이 들어간 예쁜 책을 만들었고

prologue

늘 가슴속에 품고 있던 감사하다는 말 할 수 있었다.

어느 날인가!

그냥 옛날로만 기억되는 그 순간,

표지가 노란 책을 만난 인연이 내 마음밭의 말뚝이 되었다.

내 책을 읽고 살림이 즐거워지고 우울병이 나았다는 독자의 엽서가 과장이 아님을 나는 안다. 나 또한 책 한 권의 인연으로 여기까지 왔으므로…….

이번 책에는 여백을 많이 주었다.

책을 뜀음질하듯 읽지 않고, 쉬어 쉬어 효재네 마실 다녀온 느낌이면 좋겠다.

3月 29日 효재 2009

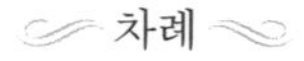
차례

1장

어린 시절

어릴 적부터 나는 하고 싶은 일만 하는 아이였다.

비가 와서 소풍 못 가는 날, 교실에서 도시락 까먹으면 아이들은 얼마나 실망하는지. 툴툴대는 아이들 속에서 나는 혼자 기뻤다. 하느님이 내 기도를 들어주셨구나, 하면서.

운동회날은 달리기 하는 걸 어찌나 싫어했는지. 어린애가 사기 코를 때려서 코피를 흘리게 했다. 흐르는 코피 때문에 얼굴을 들고 걸어갈 때에 턱밑으로 보이던 운동장 그림을 지금도 잊을 수가 없다.

어릴 때의 그를 이해하면 그 사람을 다 이해하는 것이다.

어린애가 인형옷 뜨고 싶어서 방문에다 담요를 치고 촛불을 켜 놓고 뜨개질을 하고.

세월이 흘러 지금 이 나이가 돼서도 혼자 있는 시간에 내가 무엇을 하는가 둘러보니 역시 인형옷을 뜨고 있다. 그럴 때 나는 느낀다. 사람이 변하는 게 아니라, 나이만 먹을 뿐이라고.

그렇게 어릴 때나 지금이나 하고 싶은 일만 한다.

이렇게 별난 나인데 세상이 바뀌어서 우리집에 오는 젊은 엄마

들은 '우리 아이가 선생님 같다면 나는 너무 좋아요' 그런다. 자기 아이가 창조적이어서 이렇게 별나면 자기는 너무 좋겠단다.

별나다고 구박 들으며 자라도, 나는 '엄마, 영혼이 다른데 나한테 함부로 하지 마세요' 하고 말하며 기죽지 않았다.

기는 누구 때문에 죽어지는 게 아니다.

우리집에 오는 아이들이 나를 좋아하는 건

나는 아이들 기를 살려주기 때문이다.

그래, 너 끝까지 싸워서 엄마 이겨.

너 하고 싶은 대로 다 해.

이러니 아이들은 좋아한다.

우리가 말로 남을 기죽이지

않으면 그 자체가 지구 평화다.

'왜 그랬는데?' 가 아니라

'그랬니? 어머, 잘 했다'

진심으로 말해주는 것.

우리집에 오는 꼬마애 별명이 '만두왕자' 이다.

늦둥이를 낳아서 강의 시간에 달고 오는 주부 학생이 있다. 그 늦둥이 애칭을 '만두왕자' 라고 지어주었다. 요즘 아이들이 다 얹어 키워서 옆짱구인데, 얘는 드물게 조선 머리통이다.

내 보기에는 어쌔나 귀여운지, 애 시절엔 다 옆짱구여서 주연 배우 할 애는 얘밖에 없어. 이십 년 뒤 '장군의 아들' 리메이크 할 때 주연 시키고 우리는 매니저 하자고 놀린다.

아이도 저 예뻐하는 걸 알아서 효재에 노착하면 제일 먼저 나를 찾는데, 혀 짧은 소리로 "효재 서쌤, 나 머시는 옷 입고 와쪄" 라고 말하고, 자기 엄미한테 가장 큰 협박이 "효재 인 간 거야" 란다.

아이들이기에 알고 있다.

본능으로.

서 안실 곳을.

내게 아이가 하나 있다면, 그 아이는 남자아이다.

벼락스러운 남자아이가 혼날 짓을 하면,

마당 한구석에 모래밭을 만들어놓고 그리로 불러내서 두들겨

패겠다. 이마도 쥐어박고.

그러면 그 아이는 모래밭으로 꼬꾸라지겠지.

이마엔 모래가 박힐 것이고.

나는 스스로 일어날 때까지 기다렸다가,

울먹이는 아이의 손목을 잡고 데리고 들어와서

대야에 따뜻한 물을 받아서 씻겨줄 것이다.

그리곤 꼭 삶아 빤 하얀 난닝구와 하얀 빤쯔를 입혀서

잠 재우고.

아이가 자라서 학교 갈 때쯤이면

유치원은 보내지 않고 제 나이 꽉 찬 여덟 살에

오솔길을 한참 걸어가야 하는 시골 초등학교에 보내겠다.

어쩌다 하는 서울 나들이엔 어리버리 촌놈 짓을 하겠지.

그런 남자아이의 엄마이고 싶었다.

어릴 적 소풍 가는 날 비 오라고 기도할 때에 하느님께서 이미 소원을 다 들어주셨는지 이번 생엔 아이 없는 여인으로 살다 가게 됐다.

그나마 예전 같으면 칠거지악 세 번째 항쯤에 아이 못 낳는다고 쫓겨날 법도 한데, 좋은 세상 만나서 살림의 여왕, 보자기 아티스트, 한복 디자이너, 자연주의 살림꾼, 한국의 타샤 튜더…… 온갖 칭찬을 다 듣고 산다.

아이 키울 에너지를 보자기 싸는 데 쓰고, 남는 시간엔 풀을 뽑고.

그러고 보니 아이 없는 것도 내겐 커다란 복이었나보다.

시를 쓰고 싶으나 시는 어려워서 못 쓰고

인형 올 때 상황들을 기억해두었다가 별난 이름 지어주는 걸 좋아한다.

사람처럼 생 년 월 일 받아 이름을 짓는 것은 아니지만

고민 고민해서 정성껏 이름을 짓는다.

와글와글, 우글우글.

인형들 쳐다보니,

나는 인형고아원 원장.

마빡이 쌍둥이 형제

LA에서 꽃그림 그리는 류칠선 선생은 이름처럼 마음이 선녀 같아서, 내가 좋아하는 걸 보는 걸 좋아한다.

인형들 사진을 보내면, 친부모가 입양한 애들 다시 만난 듯 감격해한다.

이번에는 쌍둥이 인형을 보내왔다.

한 애는 개구지고, 한 애는 골통.

양말 한 짝을 빼앗은 애는 신이 났고, 뺏긴 애는 골이 났다.

인형들 끼고 살다 애꿎은 사연이 많은 나는,

쌍둥이 인형까지 만들어내는 미국이라는 나라가 부럽다.

계원이

여섯 명이 십만 원씩 모아 계를 한 적이 있다.

이 계는 가장 불쌍하게 말하는 사람 순서로 돈을 타서,

그 돈으로는 꼭 그릇을 사야 하는 게 규칙이었다.

"나 곗돈 낼 돈 없어"라고 말해,

만장일치 "선생님이 1번 타셔요."

평상시 인형들에게 계절마다 옷 갈아입히고 양말 만들어 신기는 걸 눈여겨본 계원 중 한 명이,

우리집에 발가벗은 애가 있는데

선생님이 입양하면 잘 키우겠다며

계 타는 날 주고 가서 이름이 '계원이'가 된.

눈은 회멀겋고 발가벗은 채여서 아무도 탐내지 않은.

그게 마음 아파 다 닳아버린 사인펜으로 눈썹, 속눈썹, 눈동자를 그려주고, 밤새 모자 떠서 씌워주니
사람들마다 자기가 다시 입양하겠다고 할 정도로 인물이 났다.

메리

성탄날 와서 이름이 '메리'.
메리는 만두머리에, 블라우스에 치마, 속치마며 신발까지,
나와 똑같아 '리틀 효재'로 불리며 우리집에서 온갖 사랑을 다 받는다.
남들은 나와 닮았다며 재미있어하지만,
나는 숱 많은 메리의 머리가 부럽다.

아리링 윤

애는 스물 세도 다리 길이가 다른 소아마비다.
어찌나 안됐는지,
원피스에, 볼레로에, 샌들에, 팔찌까지 떠 입혀주었다.

보통 인형이 미국에서 올 때 발가벗고 머리카락 헝클어지지 말

라고 머리에는 랩을 쓴 채로 벌거둥이로 내게 온다.

어서 옷 입혀주고 싶은 마음에

일 때문에 방문한 아리랑 TV의 여자 PD

얼굴도 안 쳐다보고 옷만 떴다.

다 만들어 입히고 나니,

손님 박대한 것 같아

미안한 마음이 들어 지어준 이름이 '아리랑 윤'.

아이들 이름 지어주고,

올 때 사연 다 기억하니 ,

나는 적어도 나이 들어 치매는 걸리지 않을 거야.

애들 이름 불러주고 돌아서며 흐뭇해한다.

세상의 잣대로 보면 나는 애 못 낳아, 남편은 집 나가, 일 많이 해 골병들어, 팔자가 세도 너무 세다.

그러나 나는 거꾸로 생각한다.

남편 집에 없고 아이 없기 때문에 생기는 시간으로

나는 나를 충분히 산다.

혼자 있는 시간에 나는

가사가 슬픈 유행가를 들으며 부엌일을 하고,

어지간히 들어서 가사가 나를 따라다닐 때쯤이면 부엌일이 끝나 있다.

그 다음엔 군데군데 늘어놓은 서너 권의 책을 집히는 대로 읽다가,
그마저 비우고 싶을 땐 뜨개질을 하거나 풀을 뽑는다.
뜨개질을 하거나 풀을 뽑는 단순한 시간이 한참쯤 지나면
비로소 나와 내가 함께 만난다.
풀을 뽑아내는 단순한 행동이 마음속의 무수한 복잡한 것들을 정리하게 하고,
뜨면서 쌓이는 한 코 한 코가 매일을 새롭게 살게 한다.

2장

선물

첫 기억 선물하는 것을 좋아한다.

사람은 처음에 했던 것은 뇌에 저장된다.

싱가포르 여행을 가면서 일부러 먼 친척아이를 데리고 갔다.

그 아이를 데리고 외국여행을 가고 싶어 아이 엄마한테 거짓말을 했다. 모녀가 여행 가는 계를 했는데 애를 안 데리고 가면 곗돈 떼인다고.

해외여행의 첫 경험을 선물하고 싶었다. 내가 첫 기억을 소중하게 여기니 그 아이에게도 그 선물을 하고 싶었다.

당시 고등학교 2학년 그 아이가 지금 서른한 살이다. 그 아이는 중년의 내게 아직도 언니, 언니, 한다.

나는 그 아이에게 좋은 언니, 언제나 젊은 언니이고,

그 아이는 아직도 내게 예쁜 아이이다.

훗날 그 아이에게 남자친구가 생겼을 때, 내겐 언제나 예쁜 인영이를 나처럼 보듬어주는 남자친구이기를.

말은 바람처럼 사라진다면 글은 밤하늘의 별처럼 새겨진다고 믿기에 이 책에 꾹꾹 박는 것, 그것 또한 나의 선물이다.

지금 세상엔 핸드폰, 문자에…….

그리움을 느낄 빈 공간이 없다.

사람은 멀리 있으나

군데군데 사진 붙여놓고,

늘 마음에 끼고 산다.

공책 속의 책받침처럼.

사진 속의 사람을 보면

그리움이 덤으로 느껴져서 좋다.

요즘은 선물이 정형화되었다.

케이크 아니면 꽃.

나는 그런 선물을 한 번도 해본 적이 없다.

명절 때의 선물 홍수 지나가고

냉장고에 쌓인 갈비, 곶감, 굴비 어느 정도 먹고 난 후,

일부러 한 손 놓고 있다가,

늘 자잘한 선물을 새처럼 날라다주는 친구에게

부부 오래 건강하라고 놋수저 선물을 보냈다.

봄은 행주 선물.

행주 선물을 권하면 보통들 “남자분 드릴 건데요” 걱정들 한다.

그러면 나는 “모든 선물은 안사람한테 가는 거니까 걱정하지 마셔요.”

처음에는 옷,

그 다음에 백,

구두,

그리고 보석,

그 뒤엔 가구,

가구 다음에 그릇.

주부들의 사치 순서가 있다는데,

내가 봤을 땐 행주 사치가 사치의 마무리가 아닐까 싶다.

‘행주까지도 이렇게 예쁜데 다른 거야 오죽할까.’

후하게들 상상하니,

행주야말로 주부를 가장 빛나게 해주는 보석이다.

나는 부채를 부치라고 주는 게 아니다.

부채에 한지 뜯어서 꽃, 나비, 잠자리 온갖 것 붙여 만들어

꼭 승용차 뒷자리에 꽂아놓으라고 한다.

여행길 휴게소 들러 화장실 다녀올 때

햇볕도 가리고 옷에 묻은 먼지도 툭툭 털고.

서양영화에서 드레스 입고 부채로 얼굴을 가린 귀부인들처럼,

휴게소 화장실 갔다 나오는 길 호두과자, 튀긴 고구마, 구운 오징어 앞을 기웃기웃거릴 때,

한 손에 부채 하나 들고 이것저것 들여다보면 예쁠 것 같다.

그래서 여름이면 친구들 승용차 뒷자리엔 내가 보낸 부채가 하나씩 꽂혀 있다.

온갖 나물, 호박, 무말랭이, 고춧잎, 무청시래기.

까실까실한 가을햇볕에 널어 말려서

보자기로 곱게 싸서

놀러오는 사람들에게 하나씩 안겨준다.

보통 명절 선물은 숙제처럼 하는데,

성탄 선물은 각자들 즐겁게 한다.

평상시 나는 한 번 읽고 마는 카드 값이 아까워

대신 책이나 티슈 선물을 한다.

깨질까 부딪힐까 걱정 안 해서 좋고,

상하지 않고,

부피감 없어 주고받을 때 폼나고,

누구에게나 언제나 필요함이다.

빨강 초록 보자기로 싸서 주면

트리 안 해도 좋다며 좋아들 한다.

"내가 크리넥스 집으로 시집을 갔으면 어땠을까?

그러면 크리넥스 포장이 바뀌었겠지?"

사람들이 좋아하니 나도 더욱 흥에 겨워 혼잣말을 하며 효재식

성탄 선물을 준비한다.

선물은 주고받는 기쁨이 있다.

줄 때의 기쁨과 받을 때의 기쁨이 다름을 새삼 알게 해준 아름다운 청년이 있다.

여유 있게 즐기는 여행이 아니라 직업상 답사를 다니는 나는 답사길 잠들기 전 화투점 치는 걸 좋아한다. 보통들은 내가 화투점 치는 걸 보면 재미있어하기도 하고 의외라고 놀리는데, 그는 그걸 눈여겨보고 있다가 나에게 화투를 선물했다. 그 작은 선물이 답사 내내 나를 즐겁게 했다.

선물이란 가볍게 즐거운 정도면 된다. 마음이 묻어와서 기쁜 정도면 참 좋다. 그게 벅차면 미안하고 갚아야 하는 마음이 든다. 우리는 '저 사람이 나에게 뭘 주었지' 기억했다가 다음에 갚는 선물을 한다. 우리 일상이 선물을 저울에 단다.

그런데 이런 사소한 선물은 가볍게 나를 즐겁게 해서 기쁘다. 답사 중에 함께 받은 사소한 물건들을 잊지 않고 보내올 때, 아, 이런 기쁨이겠구나. 내가 줄 때 받는 이도 이런 기쁨이겠구나, 느껴지니 좋다.

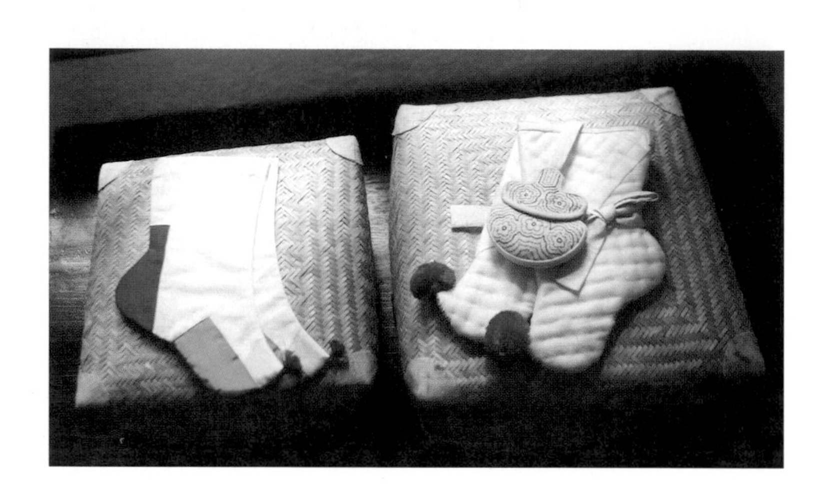

산타 할아버지는 굴뚝 타고 내려오는데

나는 숯검댕이 묻는 게 싫으니,

산나물 말려놨다가

색색이 보자기로 묶어서

오가는 길에 안겨주는

산 타는 할머니 돼야겠다.

숙이고 일하다 고개 한 번씩 들 때마다 염원을 한다.

얼마 전 보자기 전시회를 마치고 성북동 효재로 돌아오는 길.

너희 수고했어, 오늘 고생했다, 는 말 대신

좋은 그림을 선물하고 싶었다.

북악 스카이웨이에서 내려다보는 평창동 야경은 성탄 트리 같기도 하고 별밭처럼도 보인다. 드라이브 하고 되돌아오는 길가에 불 켜진 서울 성벽은 마치 화려한 레이스를 두르고 있는 것 같다.

피곤해서 졸리는데 선생님이 가자, 해서 실려올 수도 있지만,

이 별밭,

불 켜진 성벽,

이건 내가 너희에게 주는 '오늘 선물' 이야. 전시회 기념 선물.

친구 아들에게 만 원을 준다.

그리고 "누나한테는 네 마음대로 나눠줘" 라고 말한다.

그러면 그 아이가 하루 종일 누나를 괴롭힌단다. 사천 원 준댔다, 삼천 원 준댔다, 종일 그렇게 돈으로 협박을 하다가, 밤에 잘 때 오천 원을 준단다.

나는 부러 아이한테 '시험' 을 선물한다.

시험에 빠졌다 선 사람은 다음에는 흔들리지 않는다.

원래부터 서 있는 사람은 없다. 비틀거리다가 바로 선다.

나는 그 경험을 아이에게 미리 선물한다.

내 머릿속에는 선물 수첩이 있다.

이 분에게 작년에 뭘 주었는지,

두 번째는 다른 선물을 줘야 하니까.

책을 보고 찾아오는 관광객 중에 꼭 남편을 동반해서 오는 부인들이 있다. 그 남편은 쑥스러워 뒤에 서 있으면, 나는 세상없어도 불러서 자장면이라도 대접해서 보낸다.

부인 극성에 '거 봐! 당신이 이러고 다녀?' 이러는 게 아니라 '역시! 우리 와이프 안목 있구나' 이렇게 생각하게 선물을 하는 거다.

친구가 시어머니를 모시고 살면 그 시어머니께 잘 해드린다. 그게 내 친구에 대한 선물이다. 친구에게 밥 사주고 향수 사주는 게 아니라, 모시고 있는 시어머니께 잘 하는 게 친구에게 해줄 수 있는 최고의 선물이다.

어느 스님이 내게 물으셨다.

효재는 사람들한테 어떻게 그리 잘 하냐고.

내가 싫은 짓 남한테 안 하고

내가 좋은 걸 남한테 한다.

물건 하나에도 언어가 있어서, 작은 선물 하나 건넬 때에도 신경을 쓴다.

"선생님, 옥수수를 삼십 분이나 찾아서 사왔어요."

아침 주부 프로의 여자 PD가 옥수수를 한 봉지 사들고 왔다.

나는 한 입 딱 베어 먹고 내려놨다.

"어머, 뉴 슈가 들어갔잖아."

그랬더니 그 사람이 너무 놀란다.

보통은 예의로 맛있다, 감사하다, 고맙다에 젖어 있다가,

나의 이 말에 너무나 놀란 것이다.

내가 옥수수 좋아한다고

삼십 분을 찾아 사온 그 마음은 느끼지만,

내가 이렇게 말하지 않으면

그 사람은 매번 그 옥수수를 사오는 수고로운 일을 하게 된다.

선물 받은 노란 넥타이가 촌스럽다고

안방 장롱에 걸어두었다가

시골에서 온 누군가에게 되선물을 하게 되는데,

나중에 그게 에르메스 넥타이라는 걸 알고

후회하는 경우가 왕왕 있다.

그래서 나는 선물 줄 때 상세히 설명하고,

받을 때 솔직히 물어본다.

"어머, 어디에서 샀어요?" "얼마 줬어요?"

선물의 가치를 아는 것.

선물을 주인 찾아가게 하는 것.

참 중요한 일이다.

올해 내가 이사하고 바쁘다고 이외수 선생 사모님이 김장 백 포기를 해주셨다.

앞으로 살면서 많은 김장김치를 먹겠지만, 그리고 김치만 보면 사모님 생각이 나겠지만, 기억이란 흐미해지는 것이라 남기고 싶어 노랫말로 만들었다.

제목: 김장 김치

언니 같은 사모님!
김장 백 포기 해주셨다니
다들 놀라며 부러워합니다.

내 자랑은 또 어떻구요.

통 큰 사랑이 느껴져

맨밥에 김치가 속살을 찌웁니다.

받아보니 행복해서
절로 닮아갑니다.

마무리가 어려워 선생님께 들이밀어 해주셨으면, 떼를 썼다.
내심 장난처럼 '공동 작사' 후후.
"옷이나 만들지 왜 글까지 쓴다고 그래."
사모님은 툴툴대셨지만 내공 많으신 선생님께선 즉석에서 마무리해주셨다.

배추가 익어서 김치가 되는 것이 아니라
사랑이 익어서 김치가 되는 것이랍니다.

사모님, 김장철에 노래방에서 이 노래가 불리면 우리 5대 5로 나눠요. '5' 는 효재의 선물이어요. 후후.

프러포즈할 때 보통은 꽃 한 송이를 주는데, 꽃에 담긴 마음 때문이지 꽃 때문이 아니다.

꽃 때문이라면 세상 모든 여인들이 꽃집 남자와 결혼을 했을 것이고, 세상 모든 남자들은 꽃집을 했을 것이 아닌가.

세상에서 가장 슬픈 건 마음뿐일 때,

마음이 표현되지 않을 때이다.

나는 쉬지 않고 늘 정리를 한다.

그러다보면 누군가에게 맞는 선물이 보인다.

마음을 손으로 뜨고 보자기로 싸고.

늘 그랬다. 마음을 싸서 주는, 그게 내 일상이다.

도산공원 앞에 스파게티 집이 처음 생겼을 때, 내가 먹어본 그 감동을 주고 싶어 그릇째 사서 직원들을 먹였다. 뜨거워서 무릎에 얹지도 못하고 든 채로 택시를 타고 왔다. 그래서 몸이 고되나 그것이 내 선물.

생일이나 특별한 날을 기억하지 못한다. 매일매일, 그때그때, 지금이 다 선물이라고 생각한다.

나이가 드니 매 순간이 선물이다. 삶 자체가 선물이더라.

이렇게 자신 있게 말할 수 있는 것은 나의 오십 년 삶이 끝없이 끝없이 선물이었던 때문이다.

인형에게 옷을 선물하고,

땅에게 온갖 생명을 심고,

벽에게 꾸미고 칠하고,

자분자분 걸어서 옷자락 사락사락 스치는 소리까지.

마음을 담고 있는 사소한 소리까지도 덤으로 선물이다.

나의 선물은 시간을 필요로 한다.

생일, 기념일, 밸런타인데이 같은 때가 아니라,

일생을 두고 하기 때문이다.

그 사람은 그게 선물인 걸 모른다.

세월이 흘러 흘러 알겠지.

우리 현실은 기념일을 챙기는 것이 선물이다.

그런데 나는 기념일을 챙기지 않는다.

안부 전화도 하지 않는다.

서로를 느끼는 건 전화기를 붙들고 있을 때가 아니라

각자 혼자 있을 때이다.

친구가 나를 느끼고 내가 친구를 느끼는

빈 시간을 선물하는 것.

안부 전화 안 하고 기념일 안 챙기지만,

챙기지 않아 남는 그 시간이 얼마나 큰 선물인지 알게 되는 건

세월이겠지.

오십이 되도록 몇 번이나 이사를 했을까.

이삿짐을 쌀 때마다 '버릴까'

잠시 유혹에도 빠졌지만,

버려지지 않고 따라온 편지들을 보면

사소한 물건 하나에도 각자의 수명이 있나보다.

옛날 묵은 편지에서부터 지금의 핸드폰 문자까지,

내 주변 얘기들을 다 모아서 육십에는 책으로 내고 싶었다.

이 소망 하나가 세월을 당당하게 맞아들이게 했다.

저 어렸을 적 그냥 썼던 편지가 버려지지 않고 책에 실린다면,

세월이 흘러 어느 날 문득

'아, 날 이렇게 귀하게 여겼구나'

라는 마음을 느낀다면.

귀한 선물을 받아본 사람은

언젠가 누군가에게 돌려주게 된다.

우리 어릴 적엔 육십에 회갑을 했는데,

지금 육십은 그냥 지나간다.

잔치하면 흉이 되는 시절이 되었다.

못 하게 된 잔치 대신

그래도 편지, 문자 부지런히 모아서 책은 내야지!

산속에 사는 사람에겐 비는 내리는 것이 아니라 걸어오는 것이다.

비가 오기 전 흙냄새가 먼저 오고,

축축한 기운과 속을 미슥미슥거리게 하는 냄새와 함께

먼지가 폭폭 나면서 소낙비가 그 뒤를 따라 걸어온다.

신부 입장하는 것처럼 비가 걸어오는 걸 본 사람은

사는 모습이 달라진다.

친구가 "몇 시에 볼까?" 물으면

나는 "이따 봐"라고 답한다.

퇴근할 때 사무실 누군가 잡을 수도 있고 차가 막힐 수도 있으니, '몇 시에 봐'가 아니라 '이따 봐'라고 말하는 것은 기다린

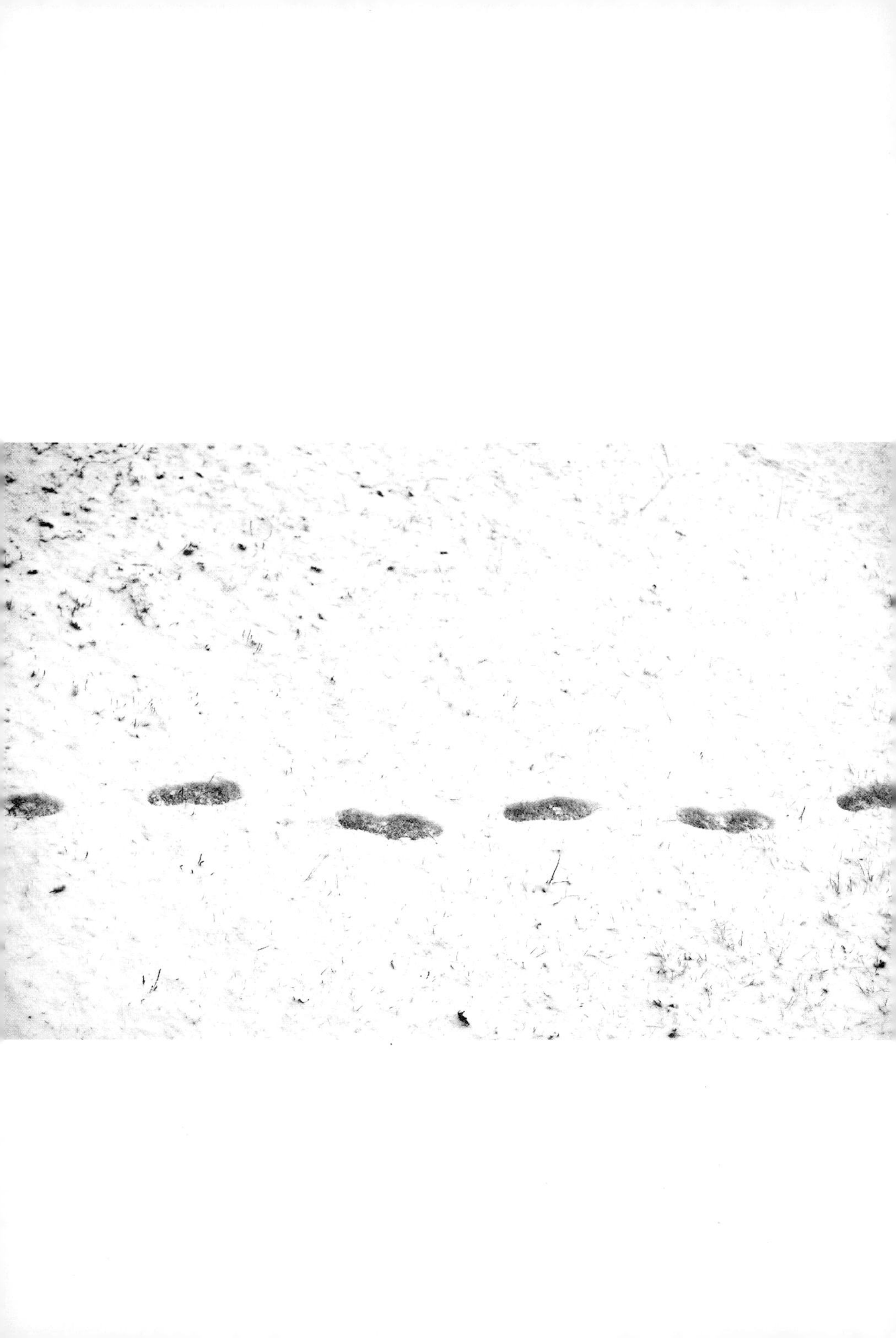

다는 뜻이다. 그런데 처음 '이따 봐' 그러면 서울에서 자란 친구는 답답해서 죽는다. 중간에 전화도 안 한다. 오고 있겠거니 하고 뜨개질을 하든 풀을 뽑든 내 일을 한다.

체험은 그 사람의 운명이다.

걸어오는 소낙비를 본 사람과 제 시간에 오는 버스를 타고 산 사람은 계산법이 다르다.

내 선물은

좋은 친구가 생기면

산길을 같이 걷고

밤하늘의 별을 보여주고

털보 선장이 잡아오는 회 한 접시와 한 잔의 낮술과

겨울 눈이 무거워 쓰러진 대나무 숲의 골짜기를 같이 보는 것이다.

3장

살림 이야기

잠시도 손을 못 놀고 만들고, 수놓고, 뜨개질하고, 풀 뽑고, 보자기 싸고. 그렇게 수십 년 노동을 했더니 왼손이 장애가 왔다.

왼 손목에 보조대를 하고 있으니 누군가 이렇게 말했다.

"대한민국 여자들이 다 효재처럼 살고 싶어하는데, 손목에 그런 거 하고 있으면 누가 좋아하겠니? 아프단 말 하지 마라."

그러면 나는 말한다.

"아니에요. 이건 나의 훈장이에요."

내가 밤새 고스톱을 쳐서 손목이 아픈 거라면 숨길 일이지만, 일하다 생긴 병이니 훈장이라고 거꾸로 해석한다. 그러면서 씩씩하게 팔 아프다고 자랑을 한다.

얼마 전에 환경재단과 함께 코엑스에서 보자기 전시회를 할 일이 있었다. 폭스바겐 자동차 한 대를 보자기로 싸고 나니 다시 손목이 아프다.

쉬지 못하는 내가 가장 많이 듣는 말이 '전생에 죄를 많이 졌나봐, 빚을 많이 졌나봐' 라는 말이다.

그럼 나는 정색을 하고 말한다.

"아니오. 지금의 나를 보면 나 착한 사람이거든요. 나 전생에 빚 안 졌어요."

상대는 무심코 하는 말인데, 정색을 하니 당황한 얼굴을 한다. 무심한 말 습관 때문에 생기는 상처가 가슴에 우박 자국처럼 박혀 있기에, 상대 무안하도록 정색을 하고 "나 빚 안 졌어요." 추임새가 되는 말이 얼마나 많은가.

열심히 하는 사람에게 "참, 보기 좋다" "아, 예쁘다"라고 말해 주면 좋겠다.

살림하는 게 체질에 안 맞는다고 말하는 이들이 있다.

글쎄, 즐거움을 찾고 못 찾고의 차이지 않을까.

살림만큼 창조적인 일이 없다.

사소한 일상을 아름다움으로 만들어가는 것.

효재를 방문하는 사십 프로의 여인들은 영화 보듯 말한다.

나도 한때는 저랬어, 돌아가신 우리 어머니가 그랬어, 라고. 과거형 추억으로.

사십 프로의 여인들은 해야지, 라고 미래형으로 말하고 간다. 꿈꾸면서.

이십 프로의 여인들은 세상엔 참 닮은 사람도 있지요, 라고 기쁘게 말한다. 진행형으로.

진행형일 때에야 살림인 것이다.

화초처럼 농사를 지으니

자랑하느라

나는 먹지 못하고

오는 이마다 밥 먹고 가라고 붙잡는다.

"때 됐는데 굶겨 보내면 기둥이 운대요. 무섭죠? 기둥이 울면

얼마나 무서워요!"

처음 듣는 으스스한 말에 붙들린 친구들은

찬 없는 밥도 마구마구 잘 먹고는

배는 부른데 불쾌하지 않다며 즐거워하니

우리집은 매일이 잔칫날이다.

나는 내 신체 부위에서 손을 제일 좋아한다.

이제는 바늘귀에 실이 잘 안 꿰지는 나이가 되었다.

밤에는 검은 실 바느질을 하지 못한다.

밤에 잘 안 보이니 흰 광목에 수를 놓는다.

할머니가 되면 이것도 못 하겠지.

그땐 털실로 뜨개질을 해야지. 눈이 어두워져도 할 수 있으니.

끝없는 일이 즐거운 건 손이 있어 가능하고, 뭔가 만들어지는 과정이 가슴을 울렁거리게 한다. 맘먹은 일을 빨리 해보고 싶어 밤에 집 안을 서성댄다.

창조적인 때 사람은 바뀐다. 스스로 행복해서 잠도 안 잔다. 손으로 만든 것은 애인 같아서, 친구에게 선물하고 친구가 휘릭 던져놓으면 귀한 애들 학대하는 것 같아 곱게 만져 다시 놓는다. 그리고 그 집 나올 때 한번 쳐다보게 된다. 창조적인 에너지가 나를 바꾼 덕에 스스로 귀하게 여기게 된 것이다.

애들이 문 쾅 닫고 들어갈 때,

급하게 끊어버리는 친구의 전화 소리,

텅 빈 집에서 고양이 달리는 소리에 놀라고

내 그림자에 내가 놀라고,

일상의 사소한 것들이 슬프게 할 때,

창문을 열고, 집 안의 공기를 바꾸고, 그러다보면 어느새 내가

즐거워져서 기쁨놀이를 한다.

거친 손이 안쓰러울 때 스스로 위안한다.

죽으면 우리 모두 사라지는 거야. 다 써버리자.

생각 하나로, 거친 손이 불쌍해지다가 훈장이 돼서 가슴이 훈

훈해진다.

이효재의 살림법은 '돈 안 든다' '예쁘다' '쉽다' 세 가지라고 말한다.

패트병 잘라서 오곡 담아 부엌 창문가에 올려놓은 걸 보고는, 꽃 값 안 들고 화병 값 안 들고 버리는 흔한 물병도 활용하면 되는구나, 싶으니 수부들이 동지애를 느끼며 좋아한다. 돈 안 드는 소박한 살림살이 구경하러 전국에서 관광버스 대절해서 효재 찾아오는 거 보면, 아, 정말 나 잘 살아야겠다, 앞으로 내 삶에 더 책임져야겠다, 좋은 본이 되라는 거구나, 싶어서

목이 메어 치맛자락 잡고 두 계단씩 한달음에 올라오곤 한다.

이효재 살림은 발부리에 채이는 돌 주워다 상에 올려서 김 누르고, 호두 깰 때 받침돌로 쓰고, 깨진 독은 손님맞이용 큰 접시로, 온갖 풀잎 따다가 테이블 세팅하니, 다들 재미있어한다. 심지어 대나무 삿갓을 손잡이 만들어 푸드 텐트로 사용하니, 이번엔 삿갓신이 내렸군, 놀리며 즐거워한다. 내가 사람을 웃기는 재주가 있나 생각하게 하는 건, 이렇게 날 놀리며 즐거워하는 이웃들을 볼 때이다.

상대 얼굴 안 보고 설거지를 하면, 처음엔 서운해하다가 집에 가서 자기도 설거지 하고 있다고 전화가 온다. 나를 보니 비단 만지듯 그릇을 씻고 있더라고. 그 모습을 보니, 지겨운 설거지가 하고 싶어졌다고.

수돗물이 배에 튈까봐 물을 약하게 틀고 설거지 하는 모습이 보는 사람 눈에는 섬세하게 보이나보다.

사람은 그렇게 가장 가까운 이웃의 영향을 주고받는다. 너도 나도.

Solite

나는 택시에서 내릴 때 "감사합니다, 아저씨" 보다는 "고맙습니다, 아저씨"라고 말한다.

'감사합니다' 보다는 '고맙습니다'가 훨씬 더 따뜻하고 정답다.
군고구마와 삶은 고구마의 차이처럼 따뜻한 정감이 다르다.
"아저씨, 고맙습니다" 이러면 관계가 끝난 것 같아서,
꼭 "고맙습니다, 아저씨" 인사를 한다.
친구들은 "야, 넌 참 심삭하다. 어쩜 그렇게 머리 아프게 사냐"고들 하지만, 내 말 한마디가 다음 손님한테 영향을 끼침을 안다.
"고맙습니다, 아저씨."
그 향기가 나 다음 택시 타는 사람에게 갈 것 같다.
우리는 사소한 것으로 모르는 이웃들에게 영향을 미치며 산다.
인생의 관계는 빨랫줄처럼 연결되어 있어서 서로 주고받는 건데, 혼자라고 생각하니까 외롭고 손해본 것 같아서 억울한 것이다.
우리는 서로 주고받는다.

텔레비전이나 신문을 안 보니 인생을 배로 산다.

텔레비전 없는 집에서 아래위층 쫓아다니면서 청소하고 마당 풀 뽑으니 집은 맨날 반짝반짝하다.

친구 전화 목소리만 들어도 기운이 없네, 배가 고프군, 사소한 것들이 빨랫대에 줄 매놓은 것처럼 그대로 전해진다. 텔레비전 틀어놓고 전화 받으면 무엇이 감지될 수 있을까.

남편들이 수놓는 아내를 처음에는 좋아하다가 나중에는 싫어하는데, 그 이유가 불러도 대답을 안 하고 물을 달라 해도 들은 척도 않기 때문이란다.

강의 듣는 학생들에게 당부한다.

남편이 '물' 하기 전에 '무' 소리 나면 일어서라고.

남사들이 너 예민하다.

사사롭고 세밀한 것들을 위해줄 때 집안이 따뜻하게 변화된다.

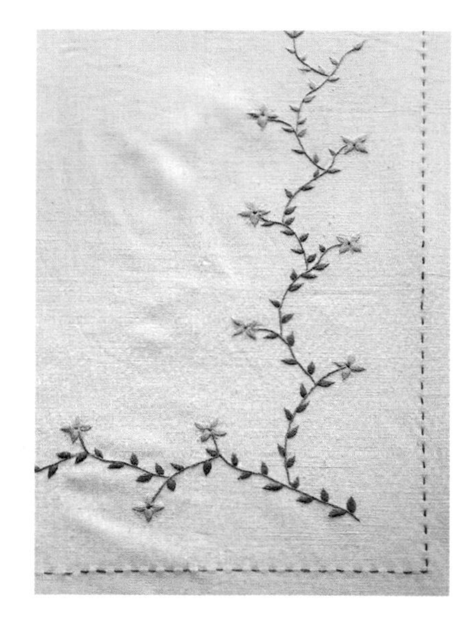

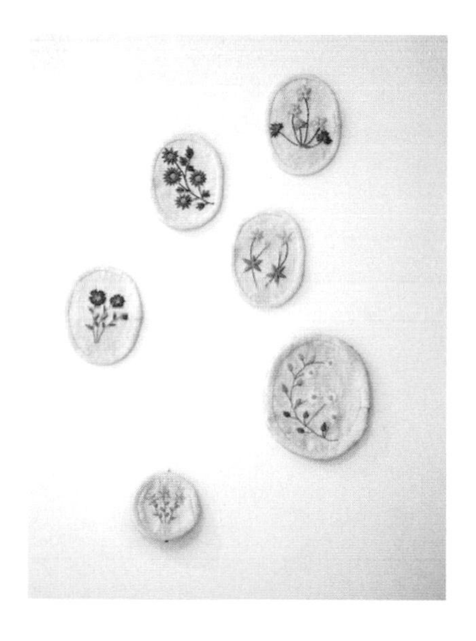

4장

아름다움에 대하여

요즘 들어 내 직업이 도대체 뭐냐고 묻는 이들이 많다.

한복 하는 사람이냐, 요리하는 사람이냐, 보자기 싸는 사람이냐.

나는 대답한다.

마음을 손으로 표현하는 게 내 직업이라고.

아기 때는 우는 거, 좀 커서는 떼 쓰는 게, 이십대는 섹시미가, 삼십대는 여인의 우아함이 무기라면, 이 나이에 무기란 마음을 잘 쓰는 거다.

마음을 어떻게 표현할까?

경상도 사람들은 무던해서 표현이 뚝뚝하다. 서울 사람들은 매사에 사근사근하니 소통에 오해가 생길 때가 있다. 남편이 거창에서 일 년을 산 적이 있다. 가까운 이웃이 툭툭 던지는 말이 내게는 속 상처가 되고 아팠다.

오뉴월 장마에 옥수숫대 꺾이듯 내가 영글지 못했다. 그땐 그랬다. 어부의 그물에 걸리는 고기처럼 말투에 걸려 아파했다.

금방 캔 축축한 감자, 찬 없는 밥상에 김가루 뿌려 찬밥 말아

먹던, 한여름 계곡에서 발이 시렸던, 저만큼 개울물 이끼 낀 돌 미끈거려 비틀거리며 올라가는 남편한테 다치면 피아노 못 치고 앵벌이 못 한다고 같이 놀리며 웃던.

세월이 흐르니 칡뿌리처럼 툭툭한 말투에 대한 기억은 사라지고, 고운 기억만 남는다.

마음은 손으로 표현해야 한다.

마음을 잘 써야지, 말로만으론 두 번 다시 만나기 싫은 말뿐인 사람이 되기 쉽다.

그래서 솜씨란 마음을 표현하는 것이다.

'아, 나는 다방 레지는 돼도 한복집은 안 할 거야.'

어릴 때 소원은 다방 레지 되는 거였다.

한복집 하는 게 싫었다.

그런데도 어머니가 하시던 한복집을 물려받게 되어

이대째 한복집을 하면서

세계적인 경쟁력을 갖고 있는 것이 무엇일까, 궁리하게 되었다.

그 오랜 세월, 내가 본 그 속에서 무엇이 있을 거야.

그 무엇이 뭘까 고민하다,

이거야!

골라낸 게 '보자기'다.

일단 발음이 '보자기' 받침이 없으니 세계인 누구나 발음하기 좋다.

우리네도 속이 얽혀 있을 때 "풀어, 풀어" "덮고 가, 덮고 가"

가난한 집 며느리 들여오면 "싸들여왔다" "싸안아줘" "보듬어"

말하듯, 우리 생활 곳곳에 보자기가 스며들어 있다.

'복'이라는 말도 풀고 보면 '보자기'가 된다.

보자기 하나에 구멍을 뚫으면 판초가 되고, ㄱ자로 꿰매면 자루가 되고, 자루에 끈을 달면 가방이 된다. 깔면 깔개, 요. 덮으면 덮개, 이불. 가리면 가리개, 커튼이 된다. 모든 것이 보자기 하나로부터 시작된다.

어느 날 밤 나에게 보자기 신이 내렸다.

이튿날 아침 미국으로 떠나는 지인이 포장 열 개를 부탁했다.

일이 바빠 늦은 밤 그 집으로 가니, 새벽 한시가 넘어 있었다.

싸야 할 내용물인 CD 열 장은 한 뼘 높이도 안 되는데, 보자기는 일 미터 십 센티.

한밤중에 남의 집에서 큰일 났다 싶으면서도, 혼수집 오래 하며 생긴 내공으로 다리미를 달라 하여 고개 숙이고 묵묵히 보자기만 다리고 있었다.

시간이 한참 흘러, 궁하면 통한다 했던가.

다리미질 하다 갑자기, "이 집에 노란 고무줄 있지?"

그렇게 고무줄로 매듭짓고, 젓가락을 연장 삼아 주름 잡아주니, 한밤에 목단꽃이 열 송이나 피었다.

완성하고 아픈 다리를 펴고 일어나서 보자기 꽃밭을 내려다볼 때 그 행복함이란.

'시작은 미약하나 그 끝은 창대하리라.'

보자기 신이 내게 마치 교향곡을 연주해주는 것 같았다.

그날 밤 그 사고가 오늘 '보자기 아트'의 시작이 되었다.

사고 뒤에 몇 곱절로 느끼는 기쁨이 지금은 중독이 되어 싸고 또 싸며 그 기쁨 속에 빠져 산다.

보자기는 정성이다.

정성을 들이지 않으면 둘둘 말아놓은 것처럼 보여 안 하니만 못하다.

굿을 시작할 때 '이 정성을 받아주어' 라는 대목에서 목이 멘다.

그 염원이 오죽 간절해야 굿을 하겠나.

첫 마음이 끝까지 가야지 '이 정성을 받아주어' 가 현실로 돼서 복을 받는다.

그 마음 끝까지 정성으로 쌀 때 보자기 싸는 것도 기도가 된다.

절에
보자기 강의를 하러 갔는데,
스님께서 나도 잊고 있던
내 말을 되들려주셨다.
지금까지 내가 싼 보자기가
인덕 하나는 되었을 텐데,
앞으로 싸는 보자기가 더해져
커다란 산이 하나 만들어지면
나도 뭐든지 싸안을 수 있는
사람이 되는 것.
그것이 나의 수양이다.

"무슨 꽃 좋아하세요?" 라고 물으면

나는 "고추꽃, 감자꽃, 담배꽃, 참깨꽃."

어릴 때 가장 처음 본 꽃이 참깨꽃이다. 연분홍이라는 말로는

부족하게, 지나가는 분홍이 약간 섞여 있는 참깨꽃.

담뱃잎 끝에 크지 않게 피는 담배꽃도 그렇게 예쁘다.

시골에 살다보면 아침 출근길 복사꽃 핀 언덕 그림이 너무 좋다.

이런 그림이 내겐 모두 재산이다.

외진 곳에 살기는 하지만 나는 백화점과 호텔을 좋아한다.

보통들 내가 인사동을 좋아할 거라고 여기다가 뜻밖이라는 얼굴이다.

인사동은 일 년에 한두 번 살까.

백화점은 강의 때 가게 되는데,

급하게 지날 때에도 양옆으로 기차 지나듯 스치는 그림들이 나를 들뜨게 만든다.

호텔이란 전등갓 하나, 타일조각 하나,

전 세계 디자이너들의 창조 에너지가

응집되어 있는 곳이 아닌가.

두 곳을 좋아하는 이유다.

"한복의 가장 큰 특징은 뭘까요?"

그러면 비슷한 대답을 듣게 된다.

우리 한복은 세계적인 옷이라고. 우리 게 세계적인 거라고.

나는 한복보다 외국 옷들이 좋았다.

우리나라 뚝배기보다 로열 코펜하겐이 좋았다.

뚝배기는 내가 늘 쓰고 있는데, 로열 코펜하겐을 처음 보니 근사하고 신기했다.

우리가 서양 것을 동경하고 서양 사람들은 우리 것에 관심을

갖듯,

내가 이미 가지고 있는 것보다 먼 데 있는 것이 좋았다.

한복이 최고다 아니다의 문제가 아니라,

문화에는 경계가 없고 의식주는 다 함께 한다.

오랜 시연을 가지고 있는, 세상의 모든 오래된 것들은 다 아름답다.

아름다운 것은 서로 소통한다.

아름다운 것은 다 나를 유혹한다.

5장

부부 이야기

아버지 딸로 태어난 것, 별난 남편 만난 것, 애 못 낳은 것이 큰 복이라고 생각한다.

험은 이제 생각해보니 다 복이었다.

우리는 보통 무병장수를 꿈꾸는데, 꼭 그런 것만은 아니구나 싶다.

돌아가신 아버지보다 더 나이를 먹은 나. 호호할머니가 되신 친정어머니는 저승에서 젊은 아버지를 만나면 어쩌지, 걱정을 하게 되는 만큼 세월이 흘렀다.

젊어 돌아가신 아버지가 저승에서라도 얼마나 내 걱정을 하고 계실까.

저승에서의 아버지 바람이 지금 남편을 만난 거라고 나는 믿는다.

아버지의 염원이 저승에서 이승으로, 이승에서 저승으로 가닿아 있나보다.

『하늘 호수로 떠난 여행』 중 류시화 시인이 인도 여행길에 데자뷔를 경험하는 장면이 나온다.

자신은 터번을 쓰고 있는 인도 청년, 모퉁이를 돌아서면 언제나 나를 이해해주는 아름다운 여인이 웃고 있었다. 그런데 그 여인은 지금 어디서 어떤 모습으로 살고 있을까, 라는.

'언제나 나를 이해해주는' 구절에서 이상하게 목이 메어 읽고 또 읽었다.

산속 옹달샘 물을 떠먹을 때
겉 물은 양손으로 밀어내고
속 물을 퍼 올려 마시는데,
밥상 차려 들고 나니는 내 모습이
남편을 퍽 위하는 것처럼 보이지만,
들여다보면 나는 옹달샘의 겉 물일 뿐.
목을 축이는 옹달샘 속 물 같은 남편.
복이 많아 언제나 나를 이해해주는 남편을 만났다.

천재, 괴짜, 기인. 온갖 수식어가 따라붙는, 살아 보니 더 별난 남편을 만난 건 싱겁게도 중매다.

주위에서 유별난 연애를 했을 거라 생각하는데,

아주 친한 언니의 소개로 밋밋하게 맹물처럼 만났다.

내가 고드름이라면,

얼음바위처럼 외로운 남편은 내게 부탁했다.

첫째, 날 그냥 내버려둘 것.

둘째, 원할 때 찬 물을 줄 것.

셋째, 돈을 벌지 않겠다, 거지도 죽을 때까지는 먹는다, 그러므로 나는 먹기 위해서 돈을 벌지는 않겠다.

그 말을 나는 가슴으로 다 알아들었다.

계약서 안 쓰고 돈 줘서 떼이고.

돈 받아 준다고 나섰던 변호사는 도중하차, 오리무중이고.

속상해도 하소연은 못 하고. 남편에게 나 일 그만두고 시골 내려가서 사모님 대접 받고 살아야겠다고 전화를 했더니,

각시는 지금부터 잘 할 수 있다.

각시는 씨앗이었는데

씨앗이 대지를 뚫고 나오느라 지진을 만난 거다.

이제 대지를 뚫고 나왔으니 새로운 시작이다.

열심히 하다가 잘 되면 좋고 안 돼도 괜찮다.

그때 내려와서 살아도 늦지 않다.

지금 내려오면 포기하는 거고

그러면 나중에 후회한다.

서울실이 포기하려고 마지막으로 건 전화 한 통에 내가 바뀌었다.

나도 처음엔 보통 부부들처럼 알콩달콩 지지고 볶고 사는 줄 알았다.

어느 날, 이런저런 대화를 하다가 남편 일에 바가지 긁는 꼴이 되었다.

나는 바가지가 아내의 애교라고 생각하고.

남편은 갑갑함을 느꼈나보다.

그 길로 집을 나가서 육 개월을 감감무소식.

처음엔, 들어오면 따져야지, 씩씩대고 기다렸다.

시간이 지나니, 뭔 일 났나, 걱정이 되고 점집도 가보고.

육 개월 지나 슬슬 편안해질 쯤, 만화책을 읽고 있는데 전화가 왔다.

여보세요.

내 목소리를 듣고는

잘 있었나, 별 일 없어, 이렇게 말하는 게 보통일 텐데,

다짜고짜 거두절미 하는 말 한 마디.

반성 좀 했나.

띵.

나는 알았다.

평범하게 살 수 없다는 것을.

지지고 볶고 알콩달콩, 을 포기하는 순간이었다.

시골집에서 서울 효재까지

밥해 먹고, 점심 도시락 싸놓고, 시골버스 타고, 전철 타고, 부지런히 다니다

어느 날 짜증이 났다.

아마 힘이 들었나보다.

퇴근하고 입은 옷 그대로 소파에 누워서 잠만 잤다.

여느 날 같으면 퇴근해서 옷 갈아입고 부엌으로 먼저 가서 부엌일 하느라 분주할 텐데

꼼짝 안 하고 누워 있는 나를 보고

신랑은 무심하게 피아노 치고 작곡하고, 피아노 치고 곡 쓰고, 자기 하는 일만 했다.

이튿날, 아침도 안 하고 도시락도 안 싸고 그냥 출근.

그 이튿날, 또 반복.

삼일째 씻지도 않고 옷도 안 갈아입고 누워서 잠만 자다

내 스스로 일어나서

"나 부활했어요."

말했더니

남편 왈,

"음. 빨리 했네."

그러곤 끝이다.

보통들은 남편들이

웬일이야? 무슨 일 있어? 어디 아파? 나가서 외식 할까?

아내 응석 받아주고 그러고들 살 텐데,

우리는 좀 다르다.

평상시 남편 말로는,

고통은 혼자 느끼고 기쁨은 나누는 거란다.

위로는 독이다, 말하는 남편은

자기는 죽을 때에 우리 각시 모르게 나가서 죽을 거란다. 동물

처럼.

충분히 그럴 남편이라는 걸 나는 안다.

어느 날 산골 집에서 음악회를 할 때
많은 손님들이 오신 적이 있다.

평상시 가깝게 지내는 분이 내게 물었다.

기인이라고들 하던데, 살아보니까 어떠니?

예. 살아보니 더 별나요.

인정하니 내가 편안하다.

6장

나이 듦에 대하여

사람마다 때가 다 다르다.

그런데 내 기준의 때로 보니 오해가 생겨 괜스레 서럽다.

내 때가 기준이고 내 안목이 기준이니,

사는 동안 탈도 많고 흠도 많고 나도 힘들고 서로 힘들었다.

이제 때가 때라고 말할 수 있는 만큼 내가 연륜이 쌓이니

남을 그대로 받아들이게 된다.

사춘기의 결벽증이 요즘 없어지는 게, 나이인가 둔해지는 건가

여러 가지로 생각한다.

내가 편해지니 서로 다 편해진다.

옛날에는 '범사에 감사하라' 는 성경 구절을 보면, '범사에 감사하래' 이렇게 주문을 하면서 나를 만들었다.

이제 지구에 와서 산 지 오십 년.

옛날에는 '범사에 감사하래' 이렇게 와 닿았던 구절이

지금은 '범사에 감사합니다' 로 바뀌었다.

오십이라는 나이가 사물을 바라보는 거나 감사하는 게 다르다.

좀더 돈이 많았으면, 좀더 예뻤으면, 좀더 뭐 했으면 하면서 '좀더' 를 바랐는데, 그냥 지금의 환경에 매일매일 범사에 감사하고 순리대로 사니 편안하다.

정말 나이가 벼슬인 것 같다.

이 벼슬 높이에 맞게 살아야겠구나.

이 벼슬에 맞는 행위를 해야겠구나.

삼십대의 나는 착했다.

유태인들은 계약서를 안 쓴다는 말을 『탈무드』에서 읽고, 너무 멋져 계약서 안 쓰고 그냥 통장에 돈 넣어주었다 돈도 여러 번 떼였다.

'밉네' 라고 말하면 죄 받는 줄 알고 '안 이쁘네' 이렇게 말하고, 어린애가 못생겼으면 '베토벤처럼 생긴 애 있잖아' 이렇게 말했다.

착한 것과 지혜가 같이 가야 함을,

사람 관계가 계약서도 쓰고 도장도 찍어야 됨을,

누구 탓할 것 없이 지혜가 없었던 나의 어리석음임을,

오십 년 사는 동안 눈물 나게 알게 되었다.

당시는 잠도 안 오던 아픈 일들도 세월이 극복하게 했다.

잊어서가 아니라, 시간에 묻혀서가 아니라,

세월이 나를 성숙하게 했다.

뜨개질, 풀 뽑기, 수놓기.

이런 잔노동이 내 속을 들여다보게 한다.

그리고 그 세월이 깨닫게 해주었다.

'아, 내가 어리석었구나.'

지구에 와서 오십 년.

노동을 많이 했더니 손이 고장이 났다.

그런데도 잠시도 손을 못 논다.

스스로 혼자 있으면서 성찰한 내용을

이렇게 공적으로 풀어내니

이 또한 얼마나 복이 많은 것인지.

이 세상이 아름답고 살 만하다 느끼는 나이가 오십이 아닌가.

세상을 아름답게 바라볼 수 있는 안목이 생기는 나이.

마흔아홉 살까지는 남 탓을 했다.

내가 돈을 떼인 것도 상대 탓이었다.

그런데 오십이 되어보니 남 탓이 아니라 나의 지혜로움이 없었던 것.

맏딸이어서 어리버리 순진하게 자라서, 사람과 사람 관계가 마음과 마음이 묶이면 된다고 생각했다.

그런데 거꾸로 해석하면, 그렇게 일이 꼬여봐서 나는 사람을 하나 얻은 거였다.

강가에서 공깃돌을 하나 골라도 심각하게 신중하게 고른다.

일이 꼬여보니 사람 하나 고르는 일이 종

이 쓰고 안 쓰고의 관계였다.

종이를 쓰고 만나는 사람과 종이를 안 쓰고 만나는 사람.

내가 지구에 와서 사는 법은 좀 서툴렀을지 몰라도 이렇게 공깃돌 같은 귀한 사람들을 만나게 되는구나, 요즘은 이런 생각을 많이 한다.

내가 당신께 기적이었다면
당신이 먼저 내 삶에
기적을 일으켜주었기
때문입니다.

「고맙습니다」 작가 이경희
2009. 2.28

아름다운
효재

"너한테 실망했어."

그럼 나는 이렇게 말한다.

"그럼 어찌겠니, 네 눈을 찔러야지."

실망이란 말은 잘못된 것이다.

그 사람은 변함없는 그 사람일 뿐.

그 사람은 원래 그러했던 사람이니,

"그럴 줄 몰랐어. 실망했어"라고 말할 이유가 없다.

너와 나는 항상 이랬고, 이미 태초에 그렇게 살고 있던 사람이

이제야 만나 알게 된 것.

네가 오래 지켜보지 않고 순간을 참지 못해서 생기는 오해일

뿐이다.

사람은 누구나 상대를 알아보는 최고의 안목을 가지고 있다.

억울하다 말하는 사람 말에 귀를 기울이게 됐다.

나는 다행히 일어섰지만, 그동안 일어서지 못하고 억울하게 산 사람도 많았겠구나. 아픈 영혼들에 대해서도 진심으로 생각하게 됐다.

처음 나를 만나러 오는 사람들은 적응을 못 한다.

자기한테 집중을 안 하고 계속 내 할 일 하니까 서운한 것이다.

그런데 내가 수를 놓거나 뜨개질을 하는 이유는 그 사람의 말을 들어주려는 것이다.

아무 말도 안 하고 들어주면 된다.

마주 보고 같이 말을 하는 건 들어주지 못한다는 거다.

상황이 다 다르기 때문에 내 경험 이야기

한다고 그 사람한테 약이 되지 않는다.

물이 자정작용을 하듯이 들어주면 인간은 스스로 정리한다.

답답하면 사람들은 나를 찾아온다.

자기 답답함을 자기 흥에, 자기 설움에 겨워 풀어내면

나는 그 옆에서 수를 놓거나 뜨개질을 하거나 풀을 뽑으며 조

용히 듣는다. 들어주는 것이 내 일이다.

식당에 빈대떡을 먹으러 가도 "어머, 이 집은 밀가루가 너무 많이 들어갔어" 중얼중얼하게 된다.
나는 무심코 그냥 하는 말인데, 내 말이 남편에게는 불평하는 것처럼 들렸나보다. 한번 생각하라고 좋은 글귀를 써 보냈다.

"천하가 돌아가는 곳은 한 군데뿐인데 길은 다 다르며, 꼭 이루는 것은 하나이건만 생각은 백 사람 생각이 모두 달라서 백 가지나 되니, 그렇다면 천하에 어찌 생각을 하겠는가."

그래, 나는 내 생각대로 구시렁댄 게, 시골 사람들은 식재료 아끼려고 밀가루 많이 넣고, 부엌에서 하다 보면 미나리가 부족할 때도 있고 그런 건데…….
남편이 보내준 글귀 냉장고 문에 붙여놓고, 사람은 누구나 다 다르다, 그 사람 색깔을 인정하자, 냉장고 문 열 때마다 곱씹는다.

서두르지 않는다.

나이 들면 보고 들은 게 많아서 자꾸 잔소리가 는다.

하지만 요즘 아이들은 컴퓨터로

앉아서 삼천 리, 서서 구만 리를 본다.

그러니 우리 말이 다 시답지 않은 잔소리일 밖에.

그래서 나이 먹은 사람에게 침묵은 정말 금이다. 잔소리처럼 들릴 수 있는 말 대신 그냥 따뜻하게 어깨 한번 쓰다듬어준다.

김치가 익듯이 사람도 익어간다.

마흔아홉 살까지는 사랑이 전부인 줄 알았는데
오십이 넘으니 평화가 좋다.

지금 내가 딱 평화의 문턱에 들어선 것 같다. 강의하는 학생들에게도 내가 지금 '평'까지는 왔다고 말한다.

처음에는 매력 있는 친구에게 끌렸다가도
결국 편안한 친구를 찾게 된다.
나이가 든다는 게 하루하루가 진심으로
간증하는 마음처럼 살게 된다.
매일매일의 노동이 나를 간증하게 한다.
교육으로 바뀌지 않던 고집과 버릇들을,
나를 심안으로 들어가게 해준 잔노동으로 보낸 세월이 둥글게 만들어주었다.
아, 평화가 좋구나.
평화로운 사람이 되겠구나.
세월이 기다려진다.
나이가 벼슬이라는 옛말이 온몸으로 느껴진다.

나는 늘 지구시계로 계산한다.

일 년 단위로 계산하면 삶이 달라진다.

'매일' 시간 개념으로 살면

삶이 그렇게 바쁠 수가 없다.

그런데 일 년 단위로 크게 크게 계산하니

지구를 내일 모레 떠날 사람 같은 마음가짐이 들어

하루하루가 얼마나 값진지.

순간순간이 값지다.

나는 이 지구에 초정밀 저울이 있다고 생각한다. 그래서 누구나 다 자기 삶은 스스로의 몫이다.

우리 직원들은 서랍에서 돈을 자기 맘대로 갖다 쓴다. 네 스스로 지구 초정밀 저울이고 달력이지, 내가 너를 저울질 하는 것이 아니다.

직원들은 계산법 한번 요상하다고 말한다.

내 계산법은 이렇다.

우주의 에너지로 어딘가에서 보상을 받는다.

나는 내 일로 충분히 보상 받았다.

그래서 생각한다. 더 잘 살아야지.

자빠져도 돌 하나 움켜쥐고 일어나 탑을 쌓는 것.

그리고 그 공든 탑이 무너지도

돌더미 사이에서 주워든 돌로 또다시 탑을 쌓는 것.

epilogue

나는 외롭다.

혼자다.

그래서 행복하다.

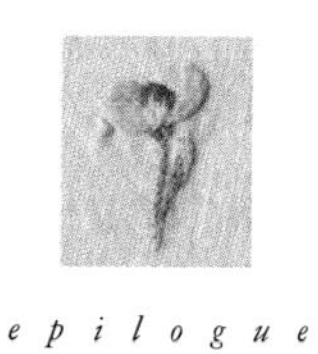

epilogue

내 속은

얼어 있는 고드름으로

주렁주렁하다.

그렇기 때문에 모든 대상이

다 따듯하게 느껴진다.